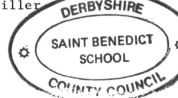

Die kleine Raupe Nimmersatt

von Eric Carle

Gerstenberg Verlag

Foto: Liselotte Lange

Eric Carle, 1929 in den USA geboren, in Deutschland aufgewachsen, erhielt seine graphische Ausbildung an der Akademie der bildenden Künste in Stuttgart; er lebt zur Zeit in New York.
Nach einer steilen Karriere als Werbegraphiker hat sich Eric Carle mit großem Erfolg dem Bilderbuch zugewandt. Seine Bücher fanden Verbreitung in vielen Ländern und wurden mit internationalen Auszeichnungen bedacht.

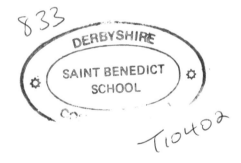

CIP-Kurztitelaufnahme der Deutschen Bibliothek · **Carle, Eric:** Die kleine Raupe Nimmersatt/Eric Carle.
– 160. – 177. Tsd. der Sonderausgabe – [Aus d. Engl. übertr. von Viktor Christen] –
Hildesheim: Gerstenberg, 1990 – 32 S. Ill. – Einheitssacht.: The very hungry caterpillar ‹dt.›
ISBN 3-8067-4041-0

Aus dem Englischen übertragen von Viktor Christen.
160. – 177. Tsd. der Sonderausgabe 1990 · Alle Rechte vorbehalten · Gerstenberg Verlag, Hildesheim ·
Copyright ©1969 Eric Carle · Gesamtherstellung im Druckhaus Neue Stalling, Oldenburg
ISBN 3-8067-4041-0

Für meine Schwester Christa

Nachts, im Mondschein, lag auf einem Blatt ein kleines Ei.

Und als an einem schönen Sonntagmorgen die Sonne
aufging, hell und warm,
da schlüpfte aus dem Ei – knack – eine kleine hungrige Raupe.

Sie machte sich auf den Weg,
um Futter zu suchen.

Am Mittwoch
fraß sie sich
durch drei
Pflaumen, aber
satt war sie
noch immer
nicht.

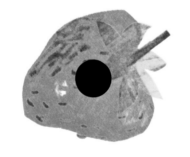

Am Donnerstag
fraß sie sich
durch vier
Erdbeeren, aber
satt war sie noch
immer nicht.

  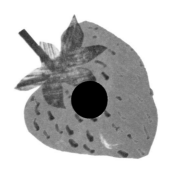 

Am Freitag
fraß sie sich
durch fünf
Apfelsinen, aber
satt war sie
noch immer
nicht.

Am Sonnabend
fraß sie sich durch
ein Stück
Schokoladenkuchen, eine Eiswaffel, eine saure Gurke, eine Scheibe Käse, ein Stück Wurs

inen Lolli, ein Stück Früchtebrot, ein Würstchen, ein Törtchen und ein Stück Melone.

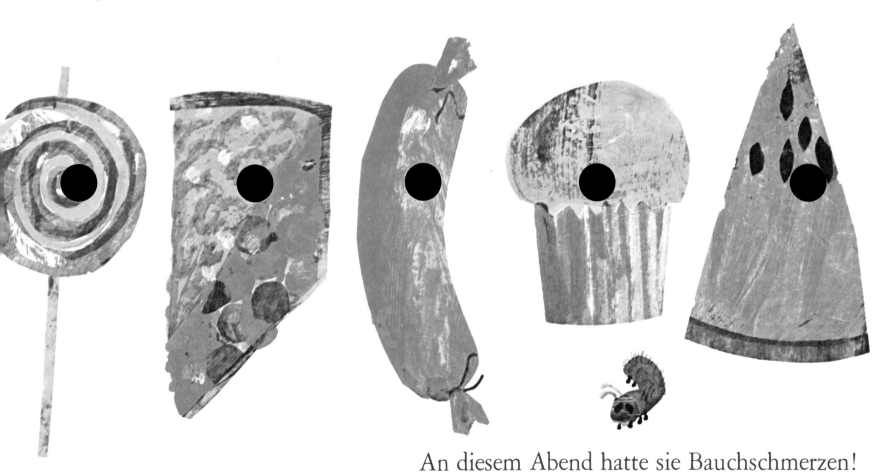

An diesem Abend hatte sie Bauchschmerzen!

Der nächste Tag war wieder
ein Sonntag.
Die Raupe fraß sich durch ein
grünes Blatt.
Es ging ihr nun viel besser.

Sie war nicht mehr hungrig, sie war richtig satt.
Und sie war auch nicht mehr klein,
sie war groß und dick geworden.

Sie baute sich ein enges Haus, das man Kokon nennt, und blieb darin mehr als zwei Wochen lang. Dann knabberte sie sich ein Loch in den Kokon, zwängte sich nach draußen und . . .

war ein wunderschöner
Schmetterling!

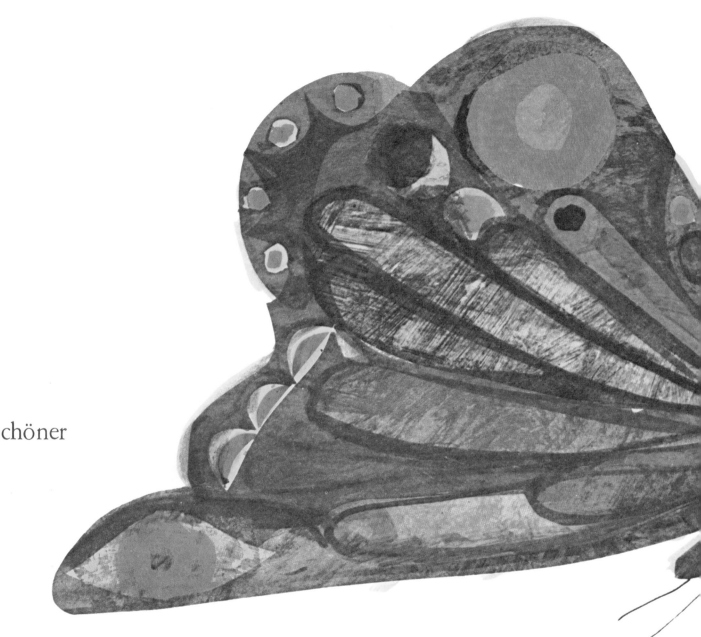

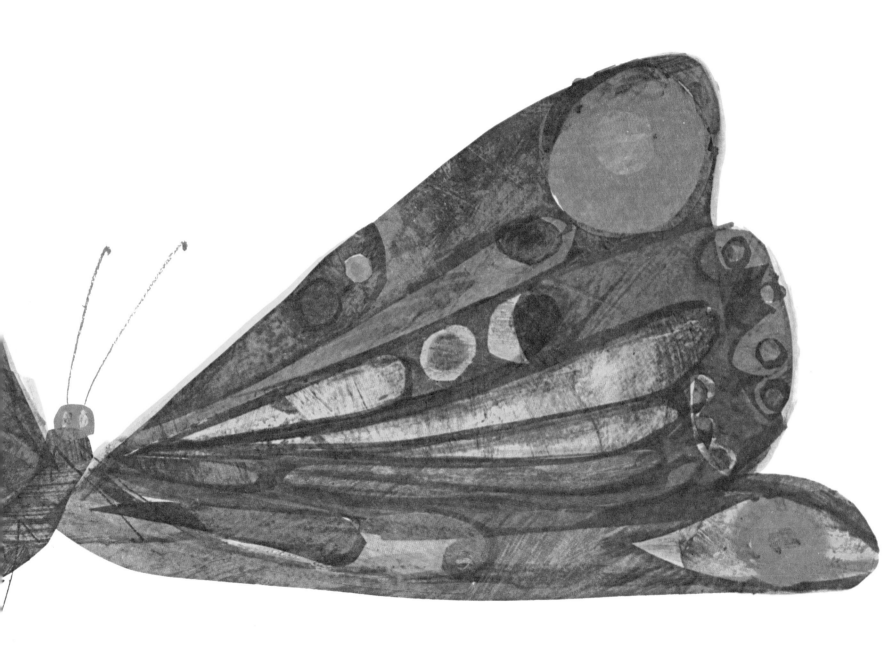